Gulliver Taschenbuch 416

Janosch, geboren 1931 in Zaborze, Oberschlesien, arbeitete in verschiedenen Berufen, von 1953 an als freier Künstler. Er lebt heute auf einer einsamen Insel. Janosch veröffentlichte zahlreiche Kinder- und Bilderbücher sowie Romane, zum größten Teil im Programm Beltz & Gelberg. Für *Oh, wie schön ist Panama* erhielt er den Deutschen Jugendbuchpreis.

Das kleine Panama-Album enthält drei Geschichten von Janosch:
Oh, wie schön ist Panama (1978)
Komm, wir finden einen Schatz (1979)
Post für den Tiger (1980)

Gulliver Taschenbuch 416

Programm Beltz & Gelberg, Weinheim

Einbandbild von Janosch
Gesetzt nach der neuen Rechtschreibung
Gesamtherstellung Druckhaus Beltz, 69494 Hemsbach
Printed in Germany
ISBN 3 407 78416 3

Der kleine Bär & der kleine Tiger und ihre Abenteuer

Die Geschichte, wie der kleine Tiger und der kleine Bär nach Panama reisen

Es waren einmal ein kleiner Bär
und ein kleiner Tiger, die lebten
unten am Fluss. Dort, wo der
Rauch aufsteigt, neben dem
großen Baum.
Und sie hatten auch ein Boot.

Sie wohnten in einem kleinen, gemütlichen Haus mit Schornstein.
»Uns geht es gut«, sagte der kleine Tiger, »denn wir haben alles, was das Herz begehrt, und wir brauchen uns vor nichts zu fürchten. Weil wir nämlich auch noch stark sind.
Ist das wahr, Bär?«
»Jawohl«, sagte der kleine Bär, »ich bin stark wie ein Bär und du bist stark wie ein Tiger. Das reicht.«

Der kleine Bär ging jeden Tag
mit der Angel fischen und der

kleine Tiger ging in den Wald
Pilze finden.

Der kleine Bär kochte jeden Tag
das Essen; denn er war ein guter
Koch.
»Möchten Sie den Fisch lieber

mit Salz und Pfeffer, Herr Tiger, oder besser mit Zitrone und Zwiebel?«

»Alles zusammen«, sagte der kleine Tiger, »und zwar die größte Portion.«

Als Nachspeise aßen sie geschmorte Pilze und dann Waldbeerenkompott und Honig. Sie hatten wirklich ein schönes Leben dort unten in dem kleinen, gemütlichen Haus am Fluss …

Aber eines Tages schwamm auf dem Fluss eine Kiste vorbei.
Der kleine Bär fischte die Kiste aus dem Wasser, schnupperte und sagte:
»Oooh … Bananen.«

Die Kiste roch nämlich nach
Bananen. Und was stand auf der
Kiste geschrieben?
»Pa-na-ma«, las der kleine Bär.
»Die Kiste kommt aus Panama
und Panama riecht nach Bananen.
Oh, Panama ist das Land meiner
Träume«, sagte der kleine Bär.
Er lief nach Hause und erzählte
dem kleinen Tiger bis spät in die
Nacht hinein von Panama.

»In Panama«, sagte er, »ist alles viel schöner, weißt du. Denn Panama riecht von oben bis unten nach Bananen. Panama ist das Land unserer Träume, Tiger. Wir müssen sofort morgen nach Panama, was sagst *du*, Tiger?«
»Sofort morgen«, sagte der kleine Tiger, »denn wir brauchen uns doch vor nichts zu fürchten, Bär. Aber meine Tiger-Ente muss auch mit.«
Am nächsten Morgen standen sie noch viel früher auf als sonst.
»Wenn man den Weg nicht weiß«, sagte der kleine Bär, »braucht man zuerst einen Wegweiser.«
Deshalb baute er aus der Kiste einen Wegweiser.

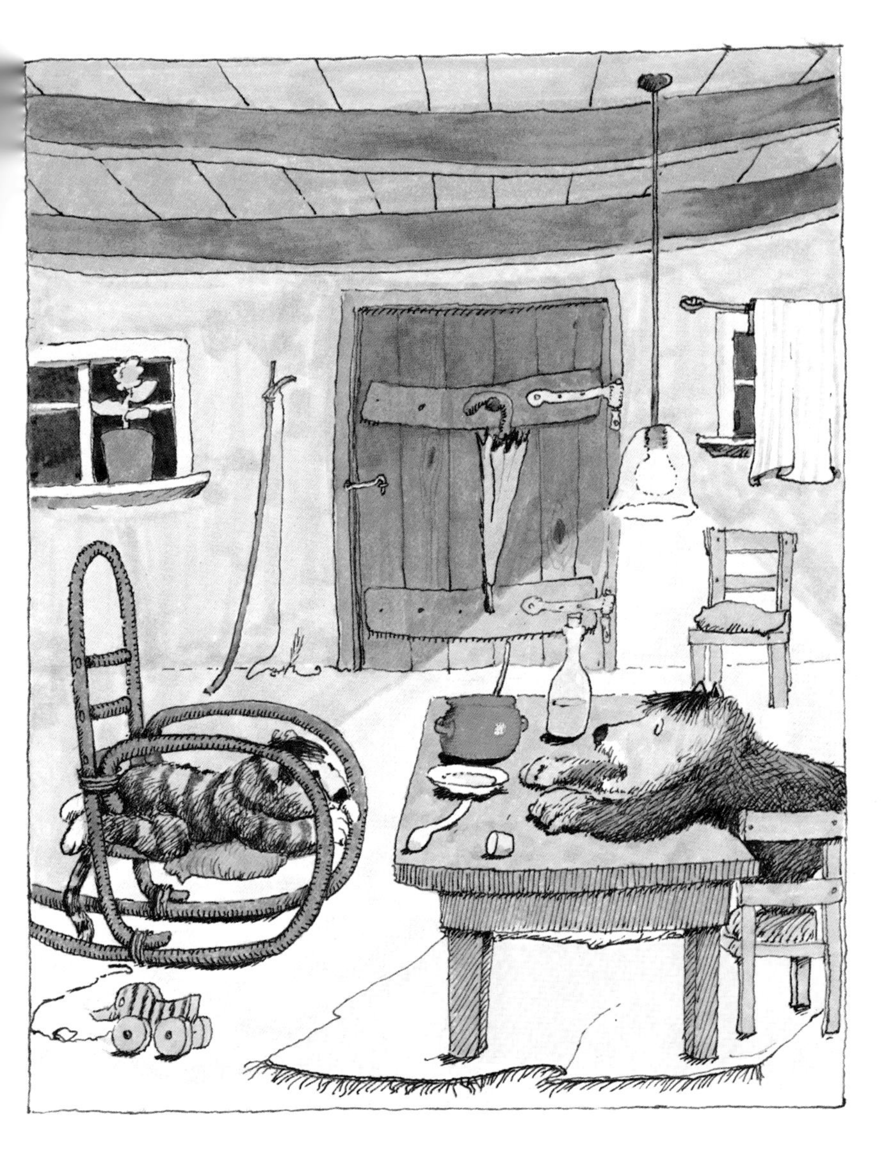

»Und wir müssen meine Angel mitnehmen«, sagte der kleine Bär, »denn wer eine Angel hat, hat auch immer Fische. Und wer Fische hat, braucht nicht zu verhungern ...«
»Und wer nicht zu verhungern braucht«, sagte der kleine Tiger, »der braucht sich auch vor nichts zu fürchten. Nicht wahr, Bär?«
Dann nahm der kleine Tiger noch

den roten Topf. »Damit du mir jeden Tag etwas Gutes kochen kannst, Bär. Mir schmeckt doch alles so gut, was du kochst. Hmmmm …«
Der kleine Bär nahm noch seinen schwarzen Hut und dann gingen sie los. Dem Wegweiser nach. Am Fluss entlang in die eine Richtung …

He, kleiner Bär und kleiner Tiger! Seht ihr nicht die Flaschenpost auf dem Fluss? Auf dem Zettel könnte eine geheime Botschaft über einen Seeräuberschatz stehen ... Zu spät. Ist schon vorbeigeschwommen.

»Hallo Maus«, sagte der kleine Bär, »wir gehen nach Panama. Panama ist das Land unserer Träume. Dort ist alles ganz anders und viel größer ...«
»Größer als unser Mauseloch?«, fragte die Maus. »Das kann nicht sein.«
Ach, was wissen Mäuse denn von Panama?
Nichts, nichts und wieder nichts.

Sie kamen beim alten Fuchs vorbei, der gerade mit einer Gans seinen Geburtstag feiern wollte.
»Wo geht's denn hier nach Panama?«, fragte der kleine Bär.
»Nach links«, sagte der Fuchs, ohne lange zu überlegen, denn er wollte nicht gestört werden. Nach links war aber falsch. Sie hätten ihn besser nicht fragen sollen.

Dann trafen sie eine Kuh.
»Wo geht's denn hier nach Panama?«,
fragte der kleine Bär.
»Nach links«, sagte die Kuh, »denn rechts
wohnt der Bauer, und wo der Bauer
wohnt, kann nicht Panama sein.«
Das war wieder falsch; denn wenn man
immer nach links geht, wo kommt man
dann hin?
– Richtig! Nämlich dort, wo man
hergekommen ist.
Bald fing es auch noch an zu regnen und
das Wasser tropfte vom Himmel

und tropfte und tropfte und tropfte …
»Wenn bloß meine Tiger-Ente nicht nass wird«, sagte der kleine Tiger, »dann fürchte ich mich vor nichts.«
Wo habt ihr denn euern schönen Regenschirm, kleiner Bär und kleiner Tiger? – Hängt zu Haus an der Tür.
Ja, ja!

Abends baute der kleine Bär aus zwei Blechtonnen eine Regenhütte. Sie zündeten ein Feuer an und wärmten sich. »Wie gut«, sagte der kleine Tiger, »wenn man einen Freund hat, der eine Regenhütte bauen kann. Dann braucht man sich vor nichts zu fürchten.«

Als der Regen vorbei war, gingen sie weiter.
Sie bekamen auch bald Hunger und der Bär sagte:
»Ich habe eine Angel, ich gehe fischen. Warte du so lange unter dem großen Baum und zünde schon ein kleines Feuer an, Tiger, damit wir die Fische braten können!«
Aber da war kein Fluss und wo kein Fluss ist, ist auch kein Fisch. Und wo kein Fisch ist, nützt dir auch eine Angel nichts.

Wie gut, dass der kleine Tiger Pilze finden konnte, sonst wären sie wohl verhungert.
»Wenn man einen Freund hat«, sagte der kleine Bär, »der Pilze finden kann, braucht man sich vor nichts zu fürchten. Nicht wahr, Tiger?«

Sie trafen bald zwei Leute, einen Hasen und einen Igel, die trugen ihre Ernte nach Hause.

»Kommt mit zu uns nach Haus«, sagten die beiden, »ihr könnt bei uns übernachten. Wir freuen uns über jeden Besuch, der uns etwas erzählen kann.«

Der kleine Bär und der kleine Tiger durften auf dem gemütlichen Sofa sitzen. »So ein Sofa«, sagte der kleine Tiger, »ist das Allerschönste auf der Welt. Wir kaufen uns in Panama auch so ein Sofa, dann haben wir *wirklich* alles, was das Herz begehrt. Ja?«

»Ja«, sagte der kleine Bär.
Und dann erzählte der kleine Bär den beiden Leuten den ganzen Abend von Panama.
»Panama«, sagte er, »ist unser Traumland, denn Panama riecht von oben bis unten nach Bananen. Nicht wahr, Tiger?«
»Wir waren noch nie weiter als bis zum anderen Ende unseres Feldes«, sagte der Hase. »Unser Feld war bis heute auch immer unser Traumland, weil dort das Getreide wächst, von dem wir leben. Aber jetzt heißt unser Traumland Panama. Ooh, wie schön ist Panama, nicht wahr, Igel?«

Der kleine Bär und der kleine Tiger durften auf dem schönen Sofa schlafen. In dieser Nacht träumten alle vier von Panama.

Einmal trafen sie eine Krähe.
»Vögel sind nicht dumm«, sagte der kleine Bär und er fragte die Krähe nach dem Weg.
»Welchen Weg?«, fragte die Krähe. »Es gibt hundert und tausend Wege.«
»In unser Traumland«, sagte der kleine Bär. »Dort ist alles ganz anders. Viel schöner und so groß …«
»Das Land kann ich euch wohl zeigen«, sagte die Krähe, denn Vögel wissen alles. »Dann fliegt mir mal nach. Hupp …!«

Und sie schwang sich auf den untersten Ast des großen Baumes.
Flog höher und höher.
Die beiden konnten nicht fliegen, nur klettern.
»Lass mich bloß nicht los, Bär!«, rief der kleine Tiger, »sonst bricht sich meine Tiger-Ente ein Rad …«
»Das da«, sagte die Krähe, »ist es.«

Und sie zeigte mit dem Flügel ringsherum. »Oooh«, rief der kleine Tiger, »ist daaaas schön! Nicht wahr, Bär?«

»Viel schöner als alles, was ich in meinem ganzen Leben gesehen habe«, sagte der kleine Bär.

Was sie sahen, war aber gar nichts anderes als das Land und der Fluss, wo sie immer gewohnt hatten. Hinten, zwischen den Bäumen, ist ja das kleine Haus. Nur hatten sie das Land noch nie von oben gesehen.
»Ooh, das ist ja Panama …«,
sagte der kleine Tiger. »Komm, wir müssen sofort weiter, wir müssen zu dem Fluss.
Dort bauen wir uns ein kleines, gemütliches Haus mit Schornstein. Wir brauchen uns doch vor nichts zu fürchten, Bär.«
Und sie kletterten von dem Baum und kamen bald zum Fluss.

Wo habt ihr denn euer Boot, kleiner Bär und kleiner Tiger? –
Liegt bei eurem kleinen Haus am Fluss.

»Such du schon mal Bretter und Holz«, sagte der kleine Bär.

Und dann baute er ein Floß.
»Wie gut«, sagte der kleine Tiger, »wenn man einen Freund hat, der ein Floß bauen kann. Dann braucht man sich vor nichts zu fürchten.«

Sie zogen das Floß in den Fluss und
schwammen damit auf die andere Seite.

»Vorsichtig, Bär«, sagte der kleine Tiger, »dass meine Tiger-Ente nicht umkippt. Sie kann nämlich nicht gut schwimmen.«
Auf der anderen Seite gingen sie am Fluss entlang und der kleine Bär sagte: »Du kannst ruhig immer hinter mir her gehen, denn ich weiß den Weg.«

»Dann brauchen wir uns vor nichts zu fürchten«, sagte der kleine Tiger, und sie gingen so lange, bis sie zu einer kleinen Brücke kamen.

Die kleine Brücke hatte früher einmal der kleine Bär gebaut; sie waren nämlich schon bald bei den Sträuchern, wo ihr Haus stand. Aber sie erkannten die Brücke nicht, denn der Fluss hatte sie mit der Zeit etwas zerstört.
»Wir müssen die Brücke reparieren«, sagte der kleine Tiger, »heb du das Brett von unten und ich heb das Brett von oben. Aber pass auf, dass meine Tiger-Ente nicht ins Wasser rollt.«

He, kleiner Bär und kleiner Tiger! Da schwimmt ja schon wieder eine Flaschenpost im Fluss. Auf dem Zettel könnte eine geheime Botschaft stehen.

Interessiert ihr euch denn nicht für einen
echten Seeräuberschatz im Mittelmeer?
Zu spät, Flaschenpost ist vorbeigeschwommen.

Auf der anderen Seite des Flusses fanden sie einen Wegweiser.
Er lag umgekippt im Gras.
»Was siehst du da, Tiger?«
»Wo denn?«
»Na hier!«
»Einen Wegweiser.«
»Und was steht darauf geschrieben?«
»Nichts, ich kann doch nicht lesen.«
»Pa …«
»Paraguai.«
»Falsch.«
»Pantoffel.«

»Nein, du Dummkopf. Pa-na-ma. Panama. Tiger, wir sind in Panama! Im Land unserer Träume, oooh – komm her, wir tanzen vor Freude.«

Und sie tanzten vor Freude hin und her und ringsherum.

Aber du weißt schon, was das für ein Wegweiser war. Na? Genau.

Und als sie noch ein kleines Stück weitergingen, kamen sie zu einem verfallenen Haus mit Schornstein.

»O Tiger«, rief der kleine Bär, »was sehen denn da unsere scharfen Augen, sag!«

»Ein Haus, Bär. Ein wunderbar, wundervoll schönes Haus. Mit Schornstein. Das schönste Haus der Welt, Bär. Da könnten wir doch wohnen.«
»Wie still und gemütlich es hier ist, Tiger«, rief der kleine Bär, »lausch doch mal!«
Der Wind und der Regen hatten ihr altes Haus ein bisschen verwittern lassen, so dass sie es nicht wieder erkannten. Die Bäume und Sträucher waren höher gewachsen, alles war etwas größer geworden.
»Hier ist alles viel größer, Bär«, rief der kleine Tiger, »Panama ist so wunderbar, wundervoll schön, nicht wahr?«
Sie fingen an, das Haus zu reparieren. Der kleine Bär baute ein Dach und einen Tisch und zwei Stühle und zwei Betten.
»Ich brauche zuerst einen Schaukelstuhl«, sagte der kleine Tiger, »sonst kann ich mich nicht schaukeln.«

Und er baute einen Schaukelstuhl.
Dann pflanzten sie im Garten Pflanzen, und bald war es wieder so schön wie früher. Der kleine Bär ging fischen, der kleine Tiger ging Pilze finden. Nur war es jetzt *noch* schöner; denn sie kauften sich ein Sofa aus Plüsch und ganz weich. Das kleine Haus bei den Sträuchern kam ihnen jetzt so schön vor wie kein Platz auf der Welt.
»O Tiger«, sagte jeden Tag der kleine Bär, »wie gut es ist, dass wir Panama gefunden haben, nicht wahr?«

»Ja«, sagte der kleine Tiger, »das Land unserer Träume. Da brauchen wir nie, nie wieder wegzugehen.«

Du meinst, dann hätten sie doch gleich zu Hause bleiben können?
Du meinst, dann hätten sie sich den weiten Weg gespart?
O nein, denn sie hätten den Fuchs nicht getroffen und die Krähe nicht. Und sie hätten den Hasen und den Igel nicht getroffen und sie hätten nie erfahren, wie gemütlich so ein schönes, weiches Sofa aus Plüsch ist.

Die Geschichte, wie der kleine Bär und der kleine Tiger das Glück der Erde suchen

Einmal hatte der kleine Bär den ganzen Tag im Fluss geangelt, aber er hatte keinen einzigen Fisch gefangen. Leerer Eimer, müde Knochen und kein Braten im Topf. Da wird sein Freund, der kleine Tiger, aber Hunger haben.

»Heute gibt es keinen Fisch, Tiger«, sagte der kleine Bär, »denn ich habe keinen gefangen.«
Dann kochte er Blumenkohl aus dem Garten. Mit Kartoffeln, Salz und etwas Butter dazu.

»Weißt du, was das größte Glück der Erde wäre?«, sagte der kleine Tiger. »Reichtum. Dann hättest du mir heute zwei Forellen kaufen können. Forellen sind nämlich meine Leib- und Königsspeise. Hm …«
»Oh, ja, Forellen«, rief der kleine Bär, denn Forellen waren sein Anglertraum. Aber er hatte noch nie eine erwischt, weil Forellen nicht dumm sind. Lassen sich nicht so leicht fangen. »Mit Dill und Mandeln in guter Butter gebraten, du«, rief der kleine Tiger und sprang vor Freude in der Stube herum.
»Und als Nachspeise«, sagte der kleine Bär, »Bienenstichkuchen.«
»Oh, Bie-nen-stich-kuchen«, quietschte der kleine Tiger. »Da flimmert es mir ja schon auf der Zunge, wenn ich das nur höre …«
»Und morgen«, sagte der kleine Bär, »würde ich mir dringend sofort ein Schlauchboot kaufen müssen. Weil ich das nämlich brauche.«
»Nein, nein«, rief der kleine Tiger. »Zuallererst brauche ich eine Hollywood-

schaukel. Und zwar, weil mein Schaukelstuhl immer so quietscht, das halte ich nicht mehr aus, du, ist ehrlich wahr. Ich werd noch verrückt davon.«
Und dann wollte der kleine Tiger noch eine Rennfahrermütze mit Schnalle. Und eine rote Lampe über dem Bett und Pelzstiefel.
»Und wir lassen uns raffinierte Sommer-anzüge nähen«, sagte der kleine Bär, »und gehen auf den Jägerball tanzen. Einen flotten Tango auf das Parkett legen, oh, ja, Tiger, das wär was ...«
»Komm«, sagte der kleine Tiger, »wir finden einen Schatz!«
Am nächsten Tag ging der kleine Tiger in den Wald, Pilze sammeln. Die haben sie auf dem Markt verkauft. Für das Geld haben sie ein festes Seil und eine neue

Schaufel und zwei Eimer gekauft; denn das braucht man zum Schatzgraben.
Erste Schaufel – Erde. Zweite Schaufel – Erde.
Einen Meter tief, das Loch. Sieben Meter tief, das Loch, und immer noch keine Kiste mit Gold und Geld.

Dabei haben sie den glücklichen Maulwurf geweckt. Er hatte dort geschlafen und er kam, klopfte an den Sandhaufen und rief:
»Gräbt da vielleicht jcmand in der tiefen Erde, hallo?«
Er konnte nämlich nicht sehen. War blind auf den Augen. Denn er wohnte meist unter der Erde, wo niemals Licht

hinkam. Und wo kein Licht hinkommt, verlernt man auch das Sehen.
»Ja, ja«, sagte der kleine Tiger. »Unten gräbt der Bär und ich bin hier oben. Wir suchen nämlich das größte Glück der Erde, weißt du.«
»Ach, das größte Glück der Erde,« rief der Maulwurf, »das kenne ich. Das ist nicht da unten. Das ist nämlich, wenn man gut hören kann. Ich kann gut hören. Hört ihr den Zaunkönig, Freunde, wie er singt? Ist das nicht schön, was?«
»Nein, nein«, rief der kleine Tiger, »wir suchen eine Kiste mit Gold und Geld.«
»Ach das«, sagte der glückliche Maulwurf. »Das ist auch nicht da unten. Ich kenne die Erde hier unter der Erde so gut wie meine Hosentasche. Auf dieser Seite vom Fluss ist keine Kiste unter der Erde.«

Da hörten die beiden dort auf zu graben und ruderten mit ihrem Boot über den Fluss.
»Weiter rechts musst du steuern«, ruft der kleine Tiger, »sonst laufen wir auf eine Sandbank auf.«
»Weißt du, an was ich jetzt denke, Tiger?«, fragt der kleine Bär. »An schöne

Lackschuhe. Ich könnte mir zu meinem Sommeranzug schöne Lackschuhe kaufen. Mit weißen Schnürsenkeln. Wäre das schön, du?«

»He, kleiner Bär und kleiner Tiger!«, ruft der Fisch im Wasser, »da schwimmt eine Flaschenpost. In der Flasche ist ein Zettel. Auf dem Zettel ist eine Landkarte und auf der Landkarte ist eine Insel mit einer Seeräuberhöhle. Dort liegt ein Seeräuberschatz, den könnt ihr euch holen. Fangt die Flasche, na, fangt schon die Flasche, schnell!«
Zu spät. Flasche vorbeigeschwommen, futsch der Reichtum.
»Ja, ja«, sagt der Fisch, »so schnell schwimmt das Glück vorbei, ihr kleinen Dummköpfe.
Weil ihr nicht zuhört, was ich sage.«

Auf der anderen Seite vom Fluss fing
jetzt der kleine Tiger an zu graben.
Einmal der Bär und einmal der Tiger.
Erste Schaufel Erde. Zweite Schaufel
Erde. Bei der fünften Schaufel Erde
kam der Löwe mit der blauen Hose.
»Was macht ihr denn da, Jungs?«,
fragte er.
»Wir finden hier einen Schatz«, sagte
der kleine Tiger. Sollen wir dir mal
sagen, was das größte Glück der Erde
ist?«
»Das weiß ich allein«, sagte der Löwe
mit der blauen Hose. »Nämlich Kraft
und Mut. Soll ich mal mutig brüllen,
ja?«
Und dann brüllte er so laut, dass im
großen, wilden Wald nach drei Stunden
die Blätter an den Bäumen noch
zitterten wie Espenlaub.
Vom Luftdruck.

»Nein, nein«, rief der kleine Bär. »Wir suchen einen Schatz. Eine Kiste mit Geld und Gold.«
»Ach das«, brummte der Löwe mit der blauen Hose. »Das gibt es hier nicht. Hier, vor dem großen, wilden Wald, kenne ich alles. Das gibt es hier nicht.«
Da hörten sie dort auf zu graben und

gingen durch den großen, wilden Wald.

Fünf Stunden zu Fuß. Sie haben sich sehr gefürchtet.
Hast du deine Angel nicht vergessen, kleiner Bär?
»Nein, nein«, sagt der kleine Bär, »weil ich sie immer und überall dabei habe, wo ich geh und steh.«
Na, dann ist es gut.
Auf der anderen Seite vom großen, wilden Wald fing der kleine Bär wieder an zu graben. Einmal der Bär und einmal der Tiger.
»Ogottogottogottoktok ...«, gackerte das verrückte Huhn, »was macht denn iiihr da, Kinder?«
»Wir finden hier einen Schatz«, sagte der kleine Bär. »Geld.«

»Geld, Geld«, gackerte das verrückte Huhn, »Geld liegt doch nicht in der Erde. Mein Bauer sagt immer, das Geld liegt auf der Straße. Und mein Bauer ist wirklich nicht dumm, sonst hätte er nicht so schöne Hühner wie mich. Oder was? Wie findet ihr denn meinen tollen Huuut? Ist der nicht verrückt?« Und flatterte davon.

»Auf der Straße?«, sagte der kleine Tiger. »Komm, dann gehen wir auf die Straße, da brauchen wir nicht so schwer zu graben.«
Auf der Straße trafen sie den Reiseesel Mallorca.
»Na, wo soll's denn hingehen, ihr zwei kleinen Tierchen?«
»Wir suchen das größte Glück der Erde«, sagte der kleine Tiger.
»Oh, da habt ihr aber Glück«, sagte der

Reiseesel Mallorca. »Denn das suche ich auch. Und ich weiß, wo's liegt. Es liegt in der Ferne. Da könnt ihr gleich mitkommen, ich bin nämlich auf dem Weg dorthin.«
Unterwegs taten dem kleinen Bären die Füße weh. Vom Laufen.
»Tragen Sie uns doch ein Stück«, sagte er zum Reiseesel Mallorca. »Esel müssen Kinder tragen und wir sind doch noch Kinder. Nicht wahr, Tiger?«

Dann sind sie über das Meer gefahren.

Als sie an Land gingen, nahm der Reiseesel Mallorca sofort wieder seine Koffer und reiste weiter. Denn die Ferne ist niemals dort, wo man sich befindet.
»Weißt du was«, sagte der kleine Bär, »wir suchen den Schatz im Meer. Versunkene Seeräuberschätze liegen immer unten im Meer.«

Der kleine Bär ging Fische fangen. Die haben sie auf dem Fischmarkt verkauft. Für das Geld bekamen sie zwei Taucherhelme und Sauerstoffgeräte.
Zum Tauchen.

Aber sie haben dort auch keinen Schatz gefunden. Keine Kiste, kein Gold und kein Geld.
Und als sie wieder aus dem Meer kamen, lachte der dicke Mann mit dem Motorboot am Seil:
»Na, Kinder! Ihr habt da unten wohl einen Schatz gesucht, was?«
»Ja«, sagte der kleine Bär, »weil der Tiger und ich, wir brauchen nämlich ...«

»Haha, da könnt ihr lange suchen, Jungs«, lachte der dicke Mann mit dem Motorboot, »da findet ihr keine tote Muschel mehr. Da haben wir schon alles abgegrast. Ihr kleinen Pechvögel ...«

Oje, die Welt war auf einmal so leer u
Haus am Fluss so weit weg ...

s Meer so kalt und tief. Und das kleine

Und wäre nicht der große Vogel Kranich gekommen, und hätte er sie nicht über das Meer getragen, sie wären wohl jämmerlich für immer und ewig gestorben.

»Warum gehst du denn so krumm, Tiger?«, fragt der kleine Bär.
»Weil ich so unglücklich bin«, sagte der kleine Tiger. »Weil wir keinen Schatz gefunden haben.«

»Dann steig auf«, sagte der kleine Bär, »ich trag dich ein Stückel.«

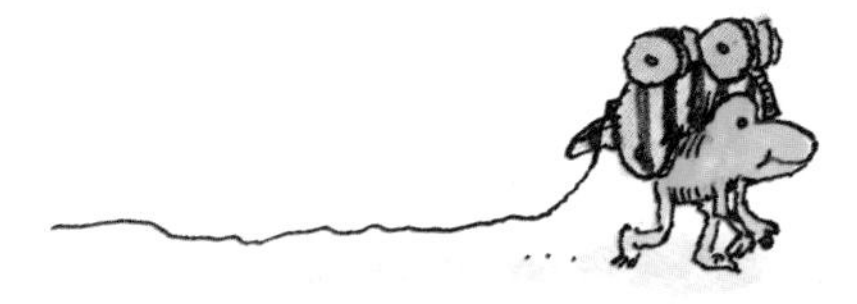

»Warum gehst du so krumm?«, fragt der kleine Tiger.
»Weil du so schwer bist«, sagte der kleine Bär.
»Dann bleib mal stehen, jetzt trag ich dich ein Stückel.«
Dann trug wieder der Bär den Tiger und dann wieder der Tiger den kleinen Bären. Jeder einmal, bis es Abend wurde.

In der Nacht schliefen sie unter einem großen Baum; denn sie waren müde von dem weiten Weg.

Als sie am nächsten Morgen aufwachten, sahen sie, dass sie unter dem Baum mit den goldenen Äpfeln geschlafen hatten.
So ein Glück.

»Ja, ja«, sagte der alte Uhu, der aber auch ein Baum war, »so ist das. Da laufen sie über die ganze Erde und suchen das Gold unten. Und wo finden sie es dann? Oben. Alles ist meistens anders, als man denkt. Nämlich genau umgekehrt.«

Der kleine Tiger flocht sofort zwei Körbe. Der kleine Bär kletterte sofort auf den großen Baum. Sie haben die Körbe voll mit goldenen Äpfeln gefüllt. Bis ganz oben hin. Sehr schwer zu tragen.

»Ich gehe schon ganz krumm«, sagte der kleine Tiger, »weil mein Korb so schwer ist. Könntest du mich bitte ein Stückel tragen?«

Aber das ging nicht, denn der kleine Bär trug ja schon einen Korb.
Man kann nur eines tragen: seinen Korb mit Gold oder seinen besten Freund.

»Weißt du«, sagte der kleine Bär, »wir tauschen in der Stadt das Gold gegen Geld. Geld ist aus Papier und viel leichter zu tragen.
Und wir sind genauso reich.«

In der Stadt gingen sie auf die Bank. Dort war ein freundlicher Mann, der zählte die Goldäpfel und sagte: »Achthundert. Genau achthundert. Achthundert ist das Doppelte von vierhundert. Da bekommen Sie vierhundert.«

»Oh, das Doppelte«, rief der kleine Tiger, »wir haben ab jetzt immer Glück, Bär, siehst du. Jetzt haben wir genau das Doppelte. Ist das nicht schön, du?«
Das Geld war nicht schwer. Es war nicht mehr als eine Tasche voll, die konnten sie zusammen tragen und hatten jeder noch eine Hand frei zum Beeren pflücken.

Neben einem Wald kam ihnen ein Mann entgegen. »Ich bin ein Beamter des Königs«, sagte er. »Und wie man gehört hat, habt ihr Geld. Die Hälfte von allem Geld gehört immer dem König. Das ist Gesetz. Dafür schützt der König euch vor dem Räuber Hablitze und sorgt sich um euch in der Not.«

Sie mussten die Hälfte abgeben und der Mann lief schnell einmal um den Wald herum und kam ihnen von vorn wieder entgegen.

»Ah, wir kennen uns«, sagte er freundlich. »Ihr habt Geld, wie wir schon wissen. Und die Hälfte vom Geld gehört immer dem König, genauso lautet das Gesetz. Dafür schützt er euch vor dem Räuber Hablitzel und so weiter.«

Das machte er dreimal. Und wie viel blieb ihnen dann noch? Na? Wer kann rechnen?

Jawohl, genau …

(Du darfst die Zahl mit Bleistift da oben hinschreiben.)

»Schade«, sagte der kleine Tiger, »dein Anteil ist jetzt futsch, Bär.«

»*Mein* Anteil«, rief der kleine Bär. »Wieso *mein* Anteil? *Dein* Anteil, du frecher Lümmel.«

Und der kleine Tiger nannte den kleinen Bären einen liederlichen Lumpensack und das ging so hin und her, bis sie sich prügelten.

»Oh, ihr kümmerlichen Dummköpfe«, sagte der Zeisig im Gras. »Da prügelt jeder von euch seinen allerbesten Freund, und nur wegen Geld. Morgen kommt der Beamte des Königs, dann habt ihr gar nichts. Nicht einmal mehr einen Freund. Oh, ihr Tölpel.«
In der Nacht haben sie sich wieder vertragen, weil sie sich allein fürchteten.

Und als sie schliefen, kam der Räuber Hablitzel und hat ihnen den Rest gestohlen.
He, du elender Räuber! Weißt du nicht, dass der König jeden schützt, der bezahlt hat?
Da hat der Räuber Hablitzel laut gelacht. Hat gesagt:
»Der König? Beschützen? Der schläft weit weg in seinem Bett. Wie soll er da jemanden beschützen? Hahaha …«

Und ist im Wald auf Nimmerwiedersehen verschwunden.
Jetzt hatten der kleine Bär und der kleine Tiger wieder nichts.
»Warum gehst du so krumm, Tiger?«, fragte der kleine Bär.
»Ich bin so unglücklich, Bär.«
»Dann steig auf, ich trag dich ein Stückel.«
Dann trug der Tiger wieder den kleinen Bären und dann der kleine Bär wieder den kleinen Tiger. Kein Streit mehr und keine Prügel. Kein Korb, der von oben schwer auf die Schulter drückte, und kein Beamter des Königs, der ihnen die Hälfte wegnahm.
»Oh, Tiger, ist das Leben schön«, sagte der kleine Bär, wenn der kleine Tiger ihn trug.
In der Nacht schliefen sie auf dem Feld, brauchten keinen Baum, um sich unter ihn

zu legen, und der Räuber Hablitzel konnte ihnen gar nichts mehr stehlen.
Als sie nach Hause kamen, schlief dort der glückliche Maulwurf auf dem Sofa. Er hatte sich gestern vor dem Regen untergestellt.
»Bleib doch da, du«, sagte der kleine Tiger. »Der Bär kann ja so gut kochen, dass wir vor Freude immer weinen müssen, ist echt wahr.«
Und der glückliche Maulwurf blieb.
Der kleine Bär kochte einen Blumenkohl aus dem Garten. Mit Kartoffeln und Salz.

»Morgen gibt es vielleicht Pilze«, sagte der kleine Tiger, »freut ihr euch schon?«
»Oh, ja«, rief der kleine Bär. »Und wenn du keine findest, dann fange ich einen Fisch. Und wenn ich keinen fange, dann gibt es Blumenkohl.«
Weil am nächsten Tag die Sonne so schön schien, ging der kleine Tiger keine Pilze sammeln. Der kleine Bär wollte keinen Fisch fangen, da gab es Blumenkohl mit Kartoffeln und Salz.
»Horcht doch mal!«, sagte der glückliche Maulwurf. »Der Zaunkönig singt. Schön, was?«
Und sie lauschten dem Gesang, die Sonne flimmerte über die Wiese.
Die Bienen summten und der Blumenkohl hatte so gut geschmeckt. Hmmm …
Oh, was war das für ein Glück. Echt wahr.

Die Geschichte, wie der kleine Bär und der kleine Tiger
die Briefpost, die Luftpost und das Telefon erfinden

Einmal, als der kleine Bär wieder zum Fluss angeln ging, sagte der kleine Tiger:

»Immer, wenn du weg bist, bin ich so einsam. Schreib mir doch mal einen Brief aus der Ferne, damit ich mich freue, ja!«
»Ist gut«, sagte der kleine Bär und nahm gleich blaue Tinte in einer Flasche mit, eine Kanarienvogelfeder, denn damit kann man gut schreiben.

Und Briefpapier und einen Umschlag zum Verkleben.

Unten am Fluss hängte er zuerst einen Wurm an den Haken und dann die Angel in das Wasser. Dann nahm er die Feder und schrieb mit der Tinte auf das Papier einen Brief:

»Lieber Tiger!
Teile dir mit, dass es mir gut geht,
wie geht es dir? Schäle inzwischen
die Zwiebeln und koch Kartoffeln,

denn es gibt vielleicht Fisch.
Es küsst dich dein Freund Bär.«

Dann steckte er den Brief in den Umschlag und verklebte ihn.
Er fing noch zwei Fische: einen zur Speisung und einen, damit er ihm das Leben schenken konnte. Damit er sich darüber freut; denn Freude ist für jeden schön.

Abends nahm er den Fisch und den Eimer, die Tinte und die Feder und auch gleich den Brief mit und ging nach Haus.

Halt, Bär, du hättest beinahe die Angel vergessen!

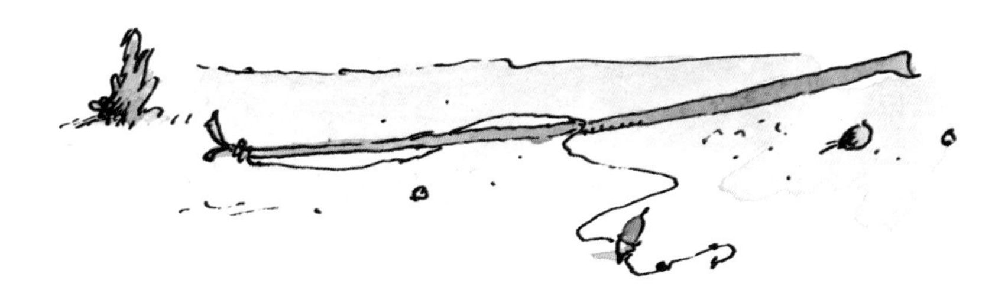

»O ja, schönen Dank«, sagt der
kleine Bär.
Er rief schon aus der Ferne vom
kleinen Berg herunter:

»Po-st-für-den-Ti-ger!
Po-st-für-den-Ti-ger!«

Aber der kleine Tiger hörte ihn nicht, weil er hinter dem Haus lag.

Hatte keine Zwiebeln geschält und keine Kartoffeln gekocht. Hatte die Stube nicht gefegt und auch die Blumen nicht gegossen. Hatte zu nichts Lust gehabt, weil er wieder so einsam war.

Und jetzt wollte er keinen Brief mehr.

Denn jetzt war der kleine Bär sowieso und persönlich und selbst zu Haus.

In der Nacht weckte der kleine Tiger den kleinen Bären und sagte: »Ich muss dir schnell noch etwas sagen, ehe du einschläfst. Könntest du mir morgen den Brief etwas eher schicken? Vielleicht durch einen schnellen Boten?«
»Ist gut«, sagte der kleine Bär und nahm am nächsten Tag wieder alles mit. Die Tinte, die Feder, das Papier, den Umschlag.

Aber auch eine Briefmarke.

Am Fluss hängte er wieder den Wurm an die Angel und die Angel in den Fluss. Dann schrieb er:

»Lieber Freund Tiger.
Mach alles so, wie ich es dir gestern schon schrieb. Hoffentlich geht es dir gut. Schnelle Grüße und heiße Küsse.
Dein Freund Bär.«

Da kam die elegante Gans vorbei.

»Ob Sie einen Brief mitnehmen könnten, bitte? An meinen Freund, den Tiger im Haus.«
»Tut mir leid«, sagte die elegante Gans.
»Hab's eilig, muss auf eine Beerdigung.«

Dann kam der dicke Fisch vorbei.
»Ob Sie einen Brief mitnehmen könnten an mei…«, da war der Fisch schon weg.
Fische sind blitzschnell.
Und vielleicht auch schwerhörig.

Und dann kam die flinke Maus gelaufen.
Wollte den Brief nehmen.
Aber da kam so ein kleiner, blauer Wind, nahm den Brief wie ein Segel und wehte beinahe alles davon.

Dann kam der Fuchs vorbei.

»Ob Sie einen Brief mitnehmen könnten, Herr Fuchs?«, fragte der kleine Bär. »An den Tiger im Haus?«

»Tiger im Haus?«, sagte der Fuchs. »Nein, tut mir leid, hab keine Zeit. Ich muss mit der eleganten Gans auf ihre Beerdigung gehen.«

Ach, wie kurz ist doch das Leben, kleine Gans!

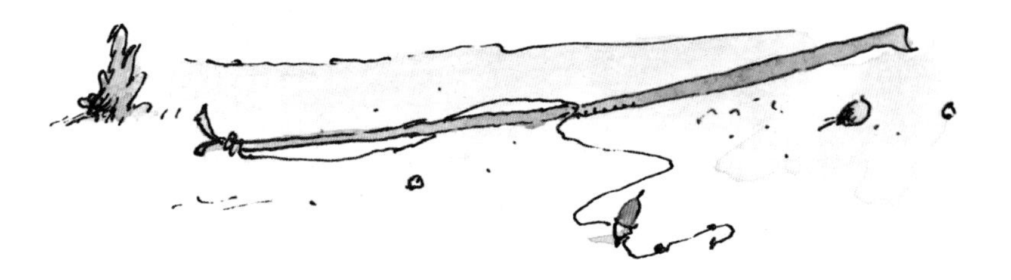

Dann kam der Elefant im Boot.

»He!«, rief der kleine Bär, »hören Sie mal her!«
Aber der Elefant schlief wohl, denn er bewegte sich nicht.

Auch der Esel mit dem Rucksack wollte den Brief nicht mitnehmen.
Und auch der kleine Mann mit der langen Nase nicht.

Aber dann kam der Hase mit den
schnellen Schuhen.
»Geben Sie her, Herr Bär!
Ist der Brief im Kuvert?
Ist eine Briefmarke drauf?«
Und jetzt, Hase, lauf!
Der Hase rannte, so schnell ihn seine
Schuhe trugen, hastduihnnicht-
gesehn zum Tiger nach Haus.

Der kleine Tiger hatte heute wieder zu nichts Lust gehabt. Hatte keine Zwiebeln geschält und keine Kartoffeln gekocht. Keine Stube gefegt und nicht einmal Feuer im Ofen gemacht.

»Post für den Tiger!«, rief der schnelle Hase, und der Tiger sprang auf und rief:
»Wo wie was für wen und von wem?«
»Für den Tiger«, sagte der Hase.
»Oh, der Tiger bin ich selbst, geben Sie her!«
Er tanzte vor Freude auf dem Tisch, auf dem Stuhl, auf dem Bett, auf dem Sofa.
Las den Brief von vorn bis hinten und von hinten bis vorn.

Hatte jetzt wieder zu allem Lust und schälte die Zwiebeln, kochte Kartoffeln. Fegte die Stube, und das Leben war schön.

Er machte ein heißes Feuer im Ofen und holte Petersilie im Garten für den guten Fisch zum Abendbrot.

Und als der Bär nach Hause kam, machten sie sich einen gemütlichen Abend, aßen Fisch mit heißen Kartoffeln und tranken Gänsewein aus dem Brunnen. Und nach dem guten Essen veranstalteten sie einen kleinen Budenzauber mit Geigenrabatz und Tanzvergnügen. Einer spielte die Kochlöffelgeige, und der Tiger strich den Besenstielbass.

Als der glückliche Maulwurf in der Ferne die schöne Musik hörte, kam er sofort zu Besuch.

Und tanzte auf dem Tisch mit seinem Spazierstock einen verliebten Schlummerlichtwalzer.

»Heut ist der schönste Tag meines Lebens«, rief der kleine Tiger. Und das war nicht gelogen.

In der Nacht weckte der kleine Tiger den kleinen Bären und sagte: »Ehe du einschläfst, wollte ich dir schnell bloß sagen: Morgen darfst *du* dir Post wünschen. Damit du dich auch mal freuen kannst. Einmal ich und einmal du. Gute Nacht noch.«

Am nächsten Tag nahm der kleine Tiger den Korb für die Pilze, die blaue Tinte in der Flasche, die Feder und das Briefpapier und ging in den Wald.

Heute schrieb *er* einen Brief an den kleinen Bären:

»Geliebter Freund und Bär!
Ich schreibe dir hiermit einen Brief, dass du dich freust. Hoffentlich sehen wir uns bald. Heute Abend gibt es Pilze

in Butter geschmort. Ich sehe sie hier nebenan schon wachsen. Mit Herzkuss dein geliebter Freund Tiger. Warte auf mich.«

Und so ging das jetzt jeden Tag. Einmal schrieb der kleine Bär an den kleinen Tiger und dann wieder umgekehrt. Und der schnelle Hase war der Briefträger.

Einmal in der Nacht weckte der kleine Tiger den kleinen Bären und sagte: »Wir könnten doch auch einmal einen Brief an unsere Tante Gans schreiben. Damit sie sich auch mal freut, ja?« Also schrieben sie gleich am nächsten Tag einen Brief an ihre Tante Gans. Schöne Grüße, alles Gute und wie es ihr gehe.

Dann schrieb die Gans an ihren
Vetter Igel.
Der Igel an den kleinen Mann mit der
langen Nase.

Der Elefant wollte an seine Frau nach
Afrika schreiben.
»Nach Afrika«, sagte der schnelle Hase,
»kann ich nicht laufen. Das wäre Luftpost. Den befördert die Brieftaube
hinüber.«

Und weil jetzt jeder mal einen Brief schreiben wollte, konnte der schnelle Hase die Arbeit allein nicht bewältigen, und er stellte die anderen Hasen aus dem Wald als Briefträger ein.

»Ihr müsst«, sagte er, »schnell und schweigsam sein. Dürft die Briefe nicht lesen und das, was darin steht, niemandem erzählen. Alles klar?«
»Alles klar«, riefen die Hasen mit den schnellen Schuhen, und alles war klar.

Dann wurden Kästen für die Briefe an alle Bäume gehängt, damit die Hasen sie nicht mehr bei jedem abholen mussten. Und gelb gestrichen.

Einmal sagte der kleine Tiger:
»Aber wenn du im Wohnzimmer bist,
ist es mir in der Küche auch so
einsam, Bär.«
Da legten sie einen Gartenschlauch
von hier nach dort – Haustelefon.
»Hören Sie mich, hallo, hören Sie
mich, wer spricht dort?«

»Hier spricht der Herr Bär, ich verstehe Sie deutlich.«
»Wir könnten doch«, sagte der kleine Tiger, »auch ein Telefon durch den Fluss legen, dann brauche ich nicht immer so schwer zu schreiben.«
Und das taten sie auch.
Unterwasserkabel.

»Und wenn wir so ein Telefon unter der Erde hätten«, sagte der kleine Tiger, »könnten wir durch den ganzen Wald bis zu unserer Tante Gans telefonieren.«

Da gruben die Maulwürfe ein unterirdisches Kabel-Telefon-Unterhaltungsnetz. Von hier nach dort und von dort nach da, kreuz und quer.

»Hallo, Tante Gans, hier spricht dein kleiner Tiger.
Kannst du mich hören, Tante Gans?
Ja, ich bin hier, der Ti-ger mit dem kleinen Tigerschwänzchen hinten, dein Neffe.«
»Und ich der Bär«, rief der Bär, »sag, ich bin auch hier, Tiger!«

Der Elefant telefonierte mit der Zentrale.
»Hier Zentrale. Hier Zentrale. Nach Afrika? Nein, leider keine Verbindung nach Afrika möglich. Ende.«
»Nicht so schlimm«, sagte der Elefant, »dann schreib ich per Luftpost.«